ANNIE DANS LA VALISE

D0755066

L'auteur

Pierre Louki a plus d'une corde à son arc. Il est auteur dramatique, comédien, compositeur-interprète de chansons. Et, bien sûr, depuis plusieurs années, il écrit des livres pour enfants.

Du même auteur, dans la même collection:

Pierre LOUKI

Annie dans la valise

Illustrations de Michel Beurton

Ce livre a été publié pour la première fois en 1989,
aux éditions Bordas, dans la collection
« Aux quatre coins du temps »

Loi n° 49-956 du 16 juillet 1949 sur les publications destinées
à la jeunesse : janvier 1996.

ISBN 2-266-10037-8

— Alors ?

    — Non !

    — Cherche bien.

    — Rien !

    — Tu as fouillé partout ?

Jérôme est affolé. Il a retourné toutes ses poches.

    — Je l'ai perdu ! Perdu !

    — Cherche encore, insiste Nicolas tandis qu'Annie récupère un mouchoir, un paquet de chewing-gums, un canif, quelques pièces de monnaie et une sorte de petite souris en peluche. Puis un portefeuille, un carnet, un crayon. Mais pas de billet !

Jérôme, Nicolas et Annie sont à la gare

de Lyon, au pied du composteur, prêts à passer sur les quais.

— Tu l'avais pourtant, tout à l'heure ?

Bien sûr qu'il l'avait. Quand le père de Nicolas et d'Annie les a déposés à l'entrée de la gare, Jérôme avait son billet. Puisque le père de Nicolas et d'Annie leur en a distribué un à chacun en leur souhaitant bon voyage.

— Il n'est pas dans ton portefeuille ?

Non. Dans le portefeuille il y a un billet de cinquante francs, un article de journal découpé et plié, quelques photos dont l'une les représentant justement tous les trois. Mais c'est tout.

— Quelle tuile !

— N'encombrez pas le passage, ronchonne un monsieur pressé qui arrive chargé de paquets et qui, sans le vouloir, renverse la valise de nos trois héros. Une très grande valise, pas lourde mais encombrante dans laquelle ils ont entassé des vêtements de rechange : chemises, pulls, tricots, anoraks...

— Comment on va faire ?

— Il a dû tomber, on va le retrouver.

Et de retourner sur leurs pas en cherchant à terre, à droite, à gauche, entre les pieds des voyageurs. C'est fou ce qu'il y a de papiers qui traînent dans un hall de gare ! Mais pas le billet de Jérôme.

— Et le train qui va partir !

— Mais non, nous étions en avance. Encore vingt minutes.

Ils cherchent toujours, en long, en large, bousculant des gens, bousculés par d'autres, s'accroupissant, se redressant, courant après le moindre indice mais... sans résultat.

— Nous voilà bien !

— C'est pas possible ! C'est pas possible ! râle Jérôme qui n'espère plus.

— Tu aurais pu faire attention, lui reproche Nicolas.

— Ça arrive à tout le monde, dit gentiment Annie qui est un peu amoureuse de Jérôme.

— Tant pis, c'est ma faute, je n'irai pas, déclare Jérôme en baissant les bras.

— Tu es fou. On ne va pas te laisser là.

— Si tu n'y vas pas, je n'y vais pas non plus, dit Annie qui est vraiment amoureuse de Jérôme.

— Tu es folle, réplique Nicolas. Tu verrais Papa ! Cherchons encore.

— Comment veux-tu chercher ? On a fait le chemin dix fois.

— On pourrait peut-être acheter un autre billet ?

— Tu as de l'argent ?

— En nous y mettant tous.

— Et il ne nous restera plus un sou !

Nos trois héros baissent les bras.

— Tu n'as qu'à passer en douce.

C'est Annie qui a osé faire cette proposition.

— Comment ça ?

— Tu passes sans billet et, une fois dans le train, tu te caches.

Nicolas n'est pas d'accord.

— Tu n'es pas folle ? Pour se faire poursuivre par le contrôleur !

— S'il se cache, le contrôleur ne le poursuivra pas.

— Se cacher où ?

— Dans les W.C.

— S'il reste longtemps dans les W.C., les voyageurs vont réclamer et le contrôleur le pincera. Alors là, l'amende !

8

— Il s'enfermera.

— Le contrôleur a un passe-partout.

C'est vrai. Décidément, rien ne s'arrange !

— Tant pis, je ne pars pas, conclut Jérôme.

— Si, si, on t'emmène et on te cache, insiste Annie.

— Mais on le cache où ? râle Nicolas qui commence à s'énerver.

— Eh bien... dans la valise !

Annie a annoncé cela d'un ton si décidé que les deux garçons en restent bouche bée.

— Oui, dans la valise c'est possible, affirme Annie.

— Faudrait pouvoir y entrer, remarque Nicolas.

— Ah ! bien sûr, il faudra qu'il se serre, continue Annie.

— Tu parles d'un voyage !

— C'est mieux que de rester là. Et puis, c'est une grande valise. Tu as assez râlé qu'elle nous embarrasserait. En attendant, on va être bien contents de l'avoir.

— Je veux bien essayer, dit Jérôme.

— Mais qu'est-ce qu'on va faire de nos habits ?

— On va les sortir, répond Annie à son frère.

— On les mettra où ?

— Sur nous. Pour une fois, on portera chacun deux chemises, trois pulls, un blouson, un anorak, etc... Ça n'est pas une affaire !

Rien n'arrête Annie !

— Il y a une chose que tu oublies, remarque Nicolas. En admettant que Jérôme entre dans la valise... qui va la porter ?

— Toi et moi, répond Annie.

— C'est que Jérôme est lourd, dit Nicolas. C'est même le plus grand et le plus lourd de nous trois. C'est aussi le plus fort.

— Alors ?

— Alors, ce serait mieux que ce soit lui qui porte la valise.

— Et qui entrerait dedans ? interroge Annie.

— Il faudrait que ce soit...

Nicolas hésite :

— ... la plus petite et la moins lourde.

— C'est ça ! Ça veut dire que c'est moi, rouspète Annie. Parce que je suis une fille.

— Non. Parce que tu es la plus petite et la plus légère.

Jérôme s'interpose :

— Il n'y a pas de raison que ce soit Annie.

— Si, répond Annie calmement, il y a une raison. C'est que ça n'est pas possible autrement.

— Alors tu es d'accord ?

— D'accord ! Tiens, voilà mon billet. Fais attention cette fois.

— Dépêchons-nous, ordonne Nicolas. Nous n'avons plus qu'un quart d'heure.

Ils se précipitent tous les trois et leur valise dans les toilettes.

Ils en ressortent cinq minutes plus tard. Du moins, il en ressort deux garçons énormes, tant ils ont de vêtements sur le corps. De vrais bibendums !

Deux garçons énormes traînant une lourde valise.

— Tu crois qu'on a fait assez de trous ? interroge Jérôme.

— T'en fais pas, elle ne manquera pas d'air, affirme Nicolas.

— Ça va là-dedans ? s'inquiète Jérôme.

— Ça va. Faites vite, répond une petite voix.

Les deux compères compostent les deux billets.

— Quel imbécile je suis, se reproche Jérôme.

— Mais non, mais non, dépêchons-nous, répond Nicolas en attrapant un chariot sur lequel ils déposent la valise.

— Attention de la mettre dans le bon sens, recommande Jérôme. Dans quel wagon on monte ?

— Allons plus loin. Il y aura moins de monde.

Ils courent en poussant le chariot au milieu des gens qui se saluent, s'embrassent.

— On dirait qu'un compartiment est vide, dit Nicolas. Ça serait super !

Jérôme et Nicolas hissent la valise en haut des marches. Ils ont beaucoup de mal, en sueur déjà, empêtrés qu'ils sont sous leurs couches de vêtements.

Un monsieur leur propose :

13

— Voulez-vous que je vous aide, jeunes gens ?

— Mais non, mais non.

— Qu'avez-vous donc là-dedans ?

— Oh ! rien ! rien ! Merci, monsieur, ça ira.

La valise est dans le couloir.

— Pardon, monsieur. Pardon, madame.

Pas de doute, le compartiment est vide.

— Un sacré coup de pot. On peut laisser la valise à côté de nous, sur le siège.

— On peut même l'ouvrir, propose Jérôme.

Nicolas soulève le couvercle.

— Ça va ?

— Ça va, répond Annie en faisant un peu la grimace mais en souriant quand même.

— Tu n'es pas trop tordue ?

— Non, comme ça, en chien de fusil, je suis bien.

— On te libérera dès que le contrôleur sera passé.

— Dommage !

Annie a dit « Dommage ! » pour plaisanter. Mais elle préférerait être assise sur la banquette.

— C'est chouette ce que tu fais pour moi, lui murmure Jérôme. Et Annie est heureuse.

Alerte ! Nicolas a rabaissé le couvercle.

C'était trop beau ! Voilà qu'un homme passe la tête dans le compartiment.

— Il y a de la place ? demande-t-il.

Nicolas bafouille :

— C'est que... on ne sait pas si...

— Bon, dit l'homme en entrant.

C'est foutu, il s'installe. Il porte une imposante valise qu'il dépose dans le filet.

« Elle ressemble à la nôtre, pensent les deux garçons. Mais elle ne renferme certainement pas le même contenu. »

— Vous ne montez pas votre valise ? Vous voulez que je vous aide ?

De quoi se mêle-t-il ? Nicolas a rapidement rabattu les fermoirs.

— Non. On la garde près de nous... tant qu'il y a de la place...

— Alors, pourquoi a-t-on inventé le filet ? dit l'homme qui est vraiment désagréable. Il s'assied lourdement — il a d'énormes fesses — et déplie son journal.

Ça y est ! Une légère secousse, le train part.

« On s'en tire bien, pense Nicolas. Avec un seul voisin, arrivera bien un moment où il sortira. »

Par un petit signe, Jérôme lui fait comprendre qu'il pense la même chose.

Mais voilà un grand chahut dans le couloir. C'est une mère de famille qui arrive essoufflée.

— Les places sont-elles libres ?

— Je vous en prie madame, dit l'homme aux grosses fesses.

— Merci. Venez les enfants.

La dame — une dame volumineuse — pénètre dans le compartiment avec un paquet, deux paquets, trois paquets et, derrière elle, un, deux, trois, quatre... Catastrophe ! Quatre enfants !

Ils s'éparpillent sur les banquettes.

— Je veux cette place-là.

— Non, c'est la mienne.

— Non, c'est moi.

Une véritable invasion !

— La paix ! hurle la dame en tournant comme une toupie — une grosse, grosse toupie.

— Je crois qu'il faut monter votre valise, dit l'homme à Nicolas.

Nicolas et Jérôme s'en saisissent. La soulever jusque là-haut ça va être dur, dur, même en grimpant sur la banquette. La valise oscille, balance. Et cette pauvre Annie qui est là-dedans !

— Voulez-vous que je vous aide ? demande l'homme.

— Non, non !

Mais l'homme est déjà debout. Il a saisi la valise et l'a jetée, plouf ! dans le filet, à côté de la sienne.

— Vous en transportez des choses, dit-il d'un ton qui inquiète Jérôme et Nicolas. Puis il se rassied, adresse un sourire à la mère de famille et aux quatre enfants qui continuent à se chamailler — insupportables ! — et se replonge dans son journal.

Heureusement que les enfants se chamaillent. Parce que s'ils ne braillaient pas, on aurait entendu le cri qu'a poussé Annie quand la valise est arrivée dans le filet. Est-ce le vertige ? Ou n'est-ce pas plutôt parce qu'une mèche de ses cheveux était coincée sous le couvercle ? Par bonheur, les cheveux sont rentrés sagement à l'intérieur. Jérôme et Nicolas sont pourtant fébriles. Avec tous ces témoins, une fois le contrôleur passé, y aura-t-il moyen de délivrer Annie ? Cette pauvre Annie qui est là-haut, le nez contre les trous d'aération, recroquevillée dans l'obscurité.

— Il lui aurait fallu une lampe électrique, murmure Jérôme à l'oreille de Nicolas.

L'homme hausse les yeux au-dessus de son journal, replonge dans la lecture, ressort le nez. Pas de doute, il est intrigué. Se doute-t-il de quelque chose ? Ou ne s'interroge-t-il pas simplement sur la tenue vestimentaire des deux gaillards ? N'oublions pas que, sous leur anorak, ils portent deux chemises, deux pulls, un blouson et peut-être plus. C'est surtout Nicolas qui souffre car le tricot de sa sœur est nettement trop étroit pour lui. Et quant à se libérer, impossible ! Que penseraient tous les autres en les voyant se déshabiller ? Surtout l'homme qui semble déjà soupçonner quelque chose. Ne serait-

ce pas un contrôleur en civil ? Un policier ?
Ne s'est-on pas aperçu de leur manège ?

Jérôme hoche la tête. Il est malheureux,
très malheureux. « Tout cela est ma faute.
J'aurais mieux fait de ne pas partir. » Son
regard ne cesse de se porter sur la valise.
Nicolas lui donne un coup de coude. Il ne
faut pas, surtout pas regarder en l'air !

L'homme plie son journal.

— Pardon, madame. Attention les
enfants.

Il sort. Où va-t-il ?

— C'est votre père ? demande la mère
de famille.

— Non, dit Nicolas.

Ah non ! ce n'est pas son père ! Si son
père avait pu partir avec eux, il aurait con-
servé les billets. Et ils seraient tous les quatre
au grand jour. À parler, s'amuser, heureux,
sans avoir à se poser toutes ces questions tra-
giques : « Annie n'étouffe-t-elle pas ? Quel
est ce bonhomme ? Par quel bout du train
le contrôleur va-t-il commencer ? Sera-t-il
long à venir ? »

— Tu vois pas qu'elle soit coincée là-dedans tout le voyage ? chuchote Jérôme à l'oreille de Nicolas.

— Ne parle pas de malheur.

— Pour combien de temps en avons-nous ?

— À peu près deux heures.

— Je ferais mieux de me dénoncer.

— T'es pas fou ? Allons, courage !

Nicolas serre le poignet de Jérôme.

— C'est à elle qu'il faut du courage, murmure Jérôme. Mais qu'est-ce qu'on pourrait faire ?

— Faut lui faire comprendre qu'on ne l'abandonne pas.

— On aurait dû percer des trous plus grands pour qu'elle nous voie.

— Une valise ça n'est pas une passoire !

Les gamins continuent leur vacarme. C'est à qui sera le plus bruyant. Il faut dire que le plus vieux a tout juste six ans.

— Chut, chut, fait sans arrêt la mère.

Ça ne change rien. Ce sont les enfants, maintenant, qui font « chut, chut » ! Et comme ils le font tous ensemble ça fait encore plus de bruit.

Nicolas prend une décision :

— Fais-moi la courte échelle.

Perché sur les mains de Jérôme, il a le visage à la hauteur de la valise.

— C'est pour chercher un livre, dit-il en parlant fort pour qu'on l'entende.

Il ouvre la valise. Un clin d'œil.

— Ça va ?... Ah ! je ne sais pas où il est ce livre. Tu sais, toi, Jérôme ?

Nicolas redescend et Jérôme monte à son tour. Il fait un grand sourire. À qui ? Au livre ? Non, il n'y a pas de livre.

— On a dû l'oublier, dit Jérôme qui ment bien quand il veut. Et qui referme la valise à toute vitesse et saute à terre encore plus vite parce que l'homme au journal réapparaît à la porte du compartiment. Il entre et, prenant son temps, il fixe à son tour la valise. À moins que ce ne soit la sienne. Puis il s'assied. En souriant... Pourquoi sourit-il ?... Pourquoi ne sourirait-il pas ? Il peut avoir vu quelque chose d'amusant dans le couloir. Ça n'est pas désagréable un monsieur qui sourit. S'il pleurait, ce serait beaucoup plus grave. Et plus triste... C'est peut-être ce que pense Nicolas en se grattant la tête. Du coup, Jérôme se gratte aussi. Les voilà tous deux qui se grattent sans trop savoir pourquoi.

— Il a une puce ! crie un des gamins, le plus vieux.

— Veux-tu te taire ! interrompt la mère en le menaçant d'une gifle.

Voyant la main levée, le gamin se tait mais, par compensation, il se gratte à son tour. Ce que font aussitôt les autres.

— Effrontés que vous êtes ! gronde la mère.

Elle gronde mais, en même temps, elle se gratte l'épaule. Tout le compartiment se gratte. Il n'y a que le monsieur pour faire exception. Il a déplié son journal et est redevenu impassible.

— Une grosse puce, reprend le gamin qui s'est brusquement enhardi.

Paf ! Le revers de main de sa mère lui est arrivé moitié sur le nez, moitié sur la joue. Il ne l'a pas volé ! Il ne l'a pas volé mais il pousse des cris abominables. En entendant cela, son petit frère en fait autant. Puis ses deux petites sœurs. Le monsieur hausse les épaules. La mère est confuse. La moitié du compartiment hurle. L'autre moitié écoute. Mais personne ne se gratte plus.

— Tu te rends compte si..., chuchote Jérôme à l'oreille de Nicolas.

— Si quoi ?

— Si elle...

— Si elle quoi ?

— Si elle avait une puce.

C'est vrai, on n'avait pas pensé à ça non plus. Si elle avait une puce, là-haut, comment ferait-elle pour calmer ses démangeaisons ?

Décidément, le voyage clandestin n'est pas une partie de plaisir.

— Il n'y en a plus.

— De quoi ? demande Jérôme.

— Des puces !

Nicolas a répondu un peu fort, parce que ça l'énerve et parce qu'il veut chasser cette éventualité de sa pensée. Le monsieur a entendu.

— Naturellement qu'il n'y en a plus, dit-il en baissant son journal. Avec les insecticides, les parasites disparaissent. Malheureusement, la chimie ne fait pas que le bien. N'est-ce pas ?

La mère n'a pas répondu. Elle a trop à faire à essuyer le nez de ses moutards. Mais Jérôme et Nicolas hochent la tête comme s'ils étaient d'accord. Pas la peine de contrarier cet homme-là. Il paraît satisfait et se replonge dans son journal. Il en connaîtra toutes les lignes !

Cela fait vingt minutes que le train est parti. Pas plus !

Des gens passent dans le couloir mais toujours pas de contrôleur.

Un des gosses s'assoupit. Il est écarlate. Sa mère lui retire son tricot.

— Tant pis, murmure Nicolas. Et il quitte son anorak. Apparaît alors le blouson. Nicolas hésite. Puis il continue, héroïquement. Il se dépouille face aux regards ébahis. Le gamin, le plus vieux, toujours le même — il n'est pas possible celui-là ! — compte tout haut en voyant tomber les pulls.

— Un ! Deux ! Trois !

— Qu'est-ce que tu attends ? souffle Nicolas à Jérôme.

Jérôme, qui n'osait pas, s'exécute à son tour. Ce qui fait dire au monsieur :

— Pas possible, vous venez du pôle !

Tous les yeux fixent les deux compères et la mère de famille ronchonne quelque chose comme :

— Tout pour les mêmes !

Jérôme et Nicolas sont redevenus d'un volume normal mais ne savent plus que faire de leurs vêtements. Ils les posent sur leurs genoux. Puis les empilent derrière eux. Et voilà qu'une des gamines se manifeste :

— J'en veux des habits ! J'en veux des habits ! qu'elle crie en se faufilant pour bondir sur le tas de vêtements. La mère s'en mêle en écrasant les pieds de tout le monde. Elle récupère sa gamine qui se cramponne à une manche de pull qui s'allonge, s'allonge. La mère y va d'une gifle et la gosse lâche sa proie en hurlant. L'atmosphère devient pénible.

— Pourquoi ne pas mettre tout ça dans votre valise ? dit l'homme.

— Non, non, coupe aussitôt Nicolas. Elle est pleine. Ça va très bien comme ça. Très bien. Merci, monsieur.

— Curieux, conclut l'homme.

Rien qu'un mot : « curieux », mais dit

si curieusement que les deux garçons en frissonnent...

Le calme revient. Et Annie, dans tout ça ? On l'avait presque oubliée.

« En définitive, pense Nicolas, c'est elle la plus tranquille. Elle n'a qu'à dormir, elle ne souffrira pas de tout ce qui se passe en bas. On aurait dû lui faire prendre un somnifère. Mais pourquoi se serait-on munis d'un somnifère ? On ne pouvait pas savoir. Tout cela est la faute de Jérôme. »

Justement, pendant ce temps, Jérôme rumine que ça n'est pas juste qu'Annie soit enfermée là-haut. Si Annie est amoureuse de Jérôme, Jérôme aussi a le cœur qui bat plus fort quand il pense à Annie. « Dès qu'il n'y aura plus personne dans le compartiment, je prendrai sa place, décide-t-il. Tant pis si je dois me tordre, m'écraser. Je me débrouillerai pour tenir. »

Le compartiment se videra-t-il ? Ça n'en prend pas le chemin, les quatre gosses sommeillent et même la mère cligne des yeux.

L'homme, lui, continue de sourire.

— Vous ne m'avez pas répondu. Vous venez du pôle ?

Les deux garçons restent muets.

— Vous habitez où ? insiste le bonhomme.

— À... Paris, bredouille Nicolas.

— On habite Paris mais... au-dessus d'un fabricant d'esquimaux.

C'est Jérôme qui est venu au secours de Nicolas.

— D'esquimaux ? interroge l'homme qui vraiment ne leur laisse aucun répit.

— Oui. Esquimaux, chocolats glacés, lance Jérôme qui ne se croyait pas capable d'une telle audace. Rien que des produits très froids.

— Ah ! bon, fait l'homme qui, enfin, se replonge dans son journal.

Soudain :

— Atchoum ! !

Ça a été comme un coup de tonnerre dans le calme revenu.

Les gosses ont rouvert les yeux, l'homme a baissé son journal et Nicolas a bondi. Bondi en tirant son mouchoir de sa poche et en se le plaquant sur le nez. Et en sautant d'un pied sur l'autre.

— Excusez-moi ! Excusez-moi !

Pourquoi fait-il tout ce cinéma ?

Parce que ce n'est pas lui qui vient d'éternuer. Non, c'est là-haut, dans la valise. Catastrophe ! Tous les regards sont sur Nicolas mais si Annie éternue encore qu'arrivera-t-il ? Pauvre Annie ! Comme elle doit être malheureuse à se pincer le nez. Nicolas la connaît bien. Elle s'étouffera plutôt que de trahir. Il ne faut pas, absolument pas, qu'on entende Annie. Aussi, Nicolas continue de sauter quitte à passer pour fou, le mouchoir sur le nez, prêt à mimer l'éternuement prochain. La mère des enfants se frappe le front avec inquiétude. Par contre, les gosses, tous réveillés, semblent particulièrement réjouis par cette danse. Peut-être leur rappelle-t-elle certains spectacles vus à la télé. Aussi, comme à la télé, se décident-ils à participer. Les voilà qui frappent dans leurs mains en cadence.

Dieu soit loué car « Atchoum ! ! » un second éternuement vient de s'envoler là-haut. Il règne un tel chahut que personne

ne paraît l'avoir remarqué. Mais ça n'est pas le moment de faiblir. Mieux vaut en rajouter. Jérôme, à son tour, frappe dans ses mains. Lui a entendu le nouvel « Atchoum !! » Pauvre Annie ! Si elle continue, les autres vont repérer la valise. Jérôme se déchaîne. Il frappe. Il chante. Fort. Très fort. « Chers enfants de la Lorraine. » Il aurait pu choisir une chanson à la mode mais, non, c'est cette marche militaire qui lui est venue à la bouche. Peut-être parce que, avec les mains qui claquent « Un ! Deux ! Un ! Deux ! » ça tombe en mesure. « Chers enfants de la Lorraine, des montagnes à la plaine », il n'en sait pas plus mais il reprend plusieurs fois accompagné par les gosses qui bafouillent.

On ne s'entend plus. Nul ne pourrait savoir si Annie éternue encore. Et c'est bien le but recherché. C'est tellement énorme que la mère de famille ne gronde pas ses choristes. Elle n'ose pas joindre sa voix à la leur mais elle rit. Tout le monde rit maintenant. Tout le monde sauf l'homme qui froisse son journal, se lève et sort en glissant la porte brutalement. Pas content. Du coup, tout le monde se tait. Un merveilleux silence. Merveilleux mais dangereux ? Non, même pas. Il semble que le calme règne aussi là-haut. Nicolas se rassied, les gosses aussi et leur mère leur dit — mais c'est un peu tard — :

— Allons, les enfants, ne faites pas les fous.

Seuls Nicolas et Jérôme savent qu'on vient de frôler le drame...

Et ce contrôleur qui ne passe pas !

Le train, lui, ne se soucie pas. Il va régulièrement, traversant prés, bois, villages...

— Une heure que nous sommes partis, dit Nicolas très fort pour qu'Annie l'entende.

En vérité, ça fait à peine cinquante minutes mais il faut bien tricher un peu pour qu'elle ne perde pas courage.

— Oui, nous avons moitié fait, renchérit Jérôme.

— On pourrait peut-être lire, propose Nicolas.

— Lire quoi ?

— Ben... si on retrouvait notre livre...

Nicolas fait un clin d'œil à Jérôme :

« Profitons de ce que l'homme n'est pas là pour monter voir ce qui se passe ».

— Je vais chercher, dit Jérôme.

Nicolas lui fait la courte échelle. Jérôme s'élève, abaisse les fermoirs de la valise, soulève le couvercle puis cherche, du moins fait semblant mais, comme il n'a pas trouvé, il referme le couvercle avec précaution et redescend.

— Je ne le trouve pas, dit-il.

Puis, à l'oreille de Nicolas :

— Elle dort.

« Ça alors, c'est bien une fille, pense Nicolas. Nous, on se fait un mauvais sang terrible et elle, tranquille dans son berceau, elle roupille ! » Il pense cela mais, dans le fond, il est fier de sa sœur et il est très heureux que son meilleur copain soit amoureux d'elle.

Tac, tac, tac ! C'est lui ! Enfin ! Il vient de frapper à la vitre. le contrôleur !

— Bonjour, messieurs dames. Vos billets s'il vous plaît.

Un des gosses tend un ticket de métro tandis que sa mère fouille dans son sac.

— Merci, madame.

Le contrôleur examine le papier tout en souriant aux enfants. Il n'a pas l'air méchant.

— Très bien. Merci. S'il vous plaît...

Nicolas présente son billet.

— Merci.

Jérôme fouille dans une poche de son pantalon. Puis dans l'autre. Non mais, il ne va pas recommencer ?

— Je... je... je ne trouve pas, bégaie-t-il.

Ça alors ! Il ne va pas nous refaire ce

coup-là ! Nicolas pâlit tandis que Jérôme est rouge comme une tomate bien mûre. Jérôme cherche toujours, s'affole en voyant la main du contrôleur tendue vers lui. Le contrôleur qui, en attendant, examine les valises là-haut.

— C'est à vous cette valise ?

A-t-il remarqué quelque chose ?

— Oui, monsieur, dit Nicolas dans un souffle.

— Et l'autre à côté ?

— Non. Elle est à un monsieur qui est sorti.

— Ce sont les deux sœurs, constate le contrôleur.

En attendant le mot « sœur », Nicolas est pris de panique. Il pense à Annie, alors que le contrôleur veut dire que les deux valises se ressemblent.

— Alors, vous trouvez ?

— Non, non, je ne sais plus.

Jérôme est complètement perdu. Ses poches retournées. Ses chaussettes baissées. Tournant sur lui-même. Affolé. Un vrai pantin !

— Dans l'anorak ! s'exclame soudain Nicolas.

C'est vrai ! Bien sûr, le billet est dans la poche de l'anorak. Sur lequel ils sont assis. Nicolas l'extirpe. Le voilà. Voilà le billet !

— Ouf !

— Tête de linotte, dit gentiment le contrôleur en rendant le billet à Jérôme qui tremble de tous ses membres. Allons, allons, il ne faut pas vous affoler comme ça. Bon voyage, messieurs dames.

Et il sort.

Alors, Nicolas éclate d'un grand rire libérateur que reprennent aussitôt les gosses mais qui n'est rien comparé à celui qui maintenant secoue Jérôme. Il rit, il pleure, il est dans un tel état que Nicolas qui ne lui en veut déjà plus, lui murmure à l'oreille :

— Pas si fort, tu vas réveiller Annie.

Une fois de plus, les gosses se sont assoupis. Le compartiment est silencieux. Nicolas et Jérôme se sentent mieux. Ils regardent défiler le paysage.

— On est tranquilles avec le contrôleur

mais Annie est quand même dans la valise, dit bientôt Jérôme. Ce serait pourtant à moi de prendre sa place.

— Pour faire l'échange, il faudrait que le compartiment soit vide.

— Tu crois que la dame dirait quelque chose ?

— Je ne sais pas. En tout cas... l'homme, lui...

Le fait est qu'il peut rentrer à tout moment.

— Je n'ai pas confiance en ce bonhomme, reprend Nicolas.

— Tu oublies que les tricheurs, c'est nous et pas lui.

— On n'est pas tout à fait des tricheurs. Le billet, on l'a payé.

— On l'a payé mais on ne peut pas le prouver. Tout cela est ma faute.

— Ne recommence pas. Ç'aurait pu être moi qui perde le billet.

— Il faut que je remplace Annie. Profiter de ce que l'homme n'est pas là. Et trouver un moyen pour faire sortir les autres pendant quelques minutes.

— Comment s'y prendre ?

— Je pourrais crier « Au feu ! »

— Il faudrait qu'il y ait de la fumée.

— J'ai trouvé. Je vais crier « Un serpent ! Il y a un serpent sous la banquette. Un boa. Énorme ! »

— Ça fera sortir la famille mais ça alertera tout le wagon. C'est le contrôleur qui arrivera. Et le chef de train, etc, etc... Et on se fera coincer.

— Tu as raison, il faut agir discrètement.

La situation est difficile. Les détectives de la télé trouveraient certainement une solution. Mais Nicolas et Jérôme ne sont pas détectives.

— Je pense à quelque chose, dit Nicolas.

— Tu as trouvé ?

— Non, au contraire.

— Comment ça, au contraire ?

— Suis-moi bien. (Depuis un moment, les deux amis parlent plus librement. La dame sommeille au milieu de ses mioches. L'homme n'est toujours pas revenu.) Admettons : le compartiment se vide et tu prends la place d'Annie, bravo ! Mais quand les autres reviennent, que pensent-ils en voyant une fille à ta place ?

— C'est vrai, soupire Jérôme.

— On n'en sortira pas !

— C'est Annie qui n'en sortira pas. On n'a pas le droit de la laisser là-haut.

Jérôme a raison. Il faut tenter quelque chose. Même s'il y a un risque.

— Après tout, dit Nicolas, fille ou garçon, nous ne serons que deux avec deux billets.

— D'ailleurs, le contrôleur ne reviendra pas. Il a tout le train à faire.

— Et dans trois quarts d'heure nous sommes arrivés.

— On tente le coup ?

— On tente le coup !

Nicolas et Jérôme se serrent la main. Fiers d'avoir pris une décision courageuse. Heureux d'être des amis.

Hélas, leur joie est de courte durée. Parce que...

— Comment les faire sortir du wagon ?

— Comment ?

La réponse va leur venir du ciel, de

là-haut, de la valise. Un bruit inattendu. « Crac, crac, crac. » Comme si...

— Tu entends ?

— Oui.

« Crac, crac, crac. »

La dame aussi a entendu. Elle se frotte l'oreille, essaie de se rendormir. Non, décidément, ce bruit l'énerve.

— Qu'est-ce que c'est ?

— Je ne sais pas... Peut-être... le toit du wagon, dit Nicolas.

— Non, non, reprend la dame. On dirait... dans la valise.

— Dans la valise ? Pensez-vous !

— Si, si. Ça grignote. Comme une souris.

— Comment voulez-vous qu'il y ait une souris dans la valise ?

— Ah ! je ne le voudrais pas, soupire la dame — et sa voix commence à s'angoisser —, parce que j'ai horreur des souris et les enfants aussi... Écoutez !

Le bruit continue : « Crac, crac, crac »... « Crac, crac, crac ».

Et Nicolas croit comprendre. Il sait que c'est Annie qu'il y a dans la valise et non pas une souris. Il sait aussi qu'avec Annie il y a un paquet de gaufrettes qu'ils avaient emporté pour le voyage. Aucun doute, Annie est réveillée et tranquillement, histoire de passer le temps, elle grignote... Nicolas murmure quelques mots à l'oreille de Jérôme puis s'adresse à la dame :

— Peut-être avez-vous raison. Il se pourrait qu'une souris... Le mieux est de descendre la valise.

— Non, non, vous n'allez pas faire ça, supplie la dame.

— C'est que, continue Nicolas, nous avons un paquet de gaufrettes...

— Oh ! des gaufrettes ! Maman, j'veux des gaufrettes, pleurniche un des gosses.

— J'ai faim, réclame un autre.

— Il faut bien que nous la chassions, insiste Nicolas.

— Excusez-moi mais les souris me causent une peur affreuse, dit la dame vraiment bouleversée.

— On a faim ! On a faim ! hurlent maintenant les quatre gosses.

— C'est cela, c'est cela, répond la

dame en se levant. Venez les enfants, on va aller manger quelque chose.

— Prenez votre temps, dit aimablement Nicolas.

— Quand vous reviendrez, il n'y aura plus de danger, ajoute Jérôme.

— Merci. Vous êtes très aimables.

Et voilà toute la famille sortie. Aux craquements dans la valise ont succédé les rires d'Annie.

— Vite ! Vite ! fait Jérôme après avoir refermé la porte du compartiment.

— À toi l'honneur, dit Nicolas en lui faisant la courte échelle.

En un bond, Jérôme s'élève, soulève le couvercle, la tête d'Annie apparaît, puis Annie tout entière, Jérôme redescend, écarte les bras et Annie saute dans les bras de Jérôme.

— Bravo les amoureux ! s'exclame Nicolas.

Les voilà tous les trois qui s'embrassent.

— Je suis contente de vous revoir, plaisante Annie.

— Nous aussi, dit Nicolas. Mais faisons vite.

Jérôme, propulsé par Nicolas, est déjà là-haut. Il s'installe dans la valise, rabat le couvercle sur lui.

— Tu dépasses, constate Nicolas.

— Allons, aplatis-toi gros père, conseille Annie.

Jérôme se pelotonne le mieux qu'il peut mais, rien à faire, ses fesses débordent.

— Il vaut mieux que j'y retourne, dit Annie.

Elle n'en a pas le temps, la porte du compartiment s'est ouverte. C'est la dame qui revient. Elle voit Annie.

— Oh ! pardonnez-moi ! Je me trompe, fait-elle. Et elle ressort aussitôt.

— Merde ! fait Nicolas.

Excusez-le, il n'a rien trouvé d'autre à dire car la dame a vu Annie et c'est très inquiétant...

Ce qui suit se passe en quelques secondes. Les trois ont compris en même temps. Jérôme a sauté à terre, Annie a repris sa place et Nicolas a refermé la valise sur elle. Il était temps ! La dame a rouvert la porte.

— Si, c'est bien ici, dit-elle en se frottant les yeux.

Elle est visiblement troublée.

— Ça alors, ça alors ! Excusez-moi, j'avais oublié mon sac.

Nicolas et Jérôme la voient repartir et l'entendent murmurer :

— Il faudra que je consulte un oculiste. peut-être même un docteur.

— Elle n'a même pas pensé à la souris, constate Nicolas.

— On l'a échappé belle, dit Jérôme.

— Ça va là-haut ? questionne Nicolas.

— Oui les gars, ça va, répond la petite voix.

— Tu tiendras jusqu'au bout ? Encore une demi-heure.

— Je tiendrai jusqu'au bout mais je mangerai toutes les gaufrettes.

Et Annie se met à rire.

— Chut ! fait Jérôme qui n'est toujours pas rassuré.

Nicolas rit à son tour.

— Quand vous serez mariés, dit-il, tu pourras la transporter dans la malle de ta voiture.

Jérôme rougit un peu :

— On aura d'abord une moto.

— Tu y as déjà pensé ?

— Un side-car ! crie la petite voix.

— Comment un side-car ?

— Un side-car pour les enfants !

Les rires de la valise se mêlent à ceux des garçons.

— Maintenant on doit s'en tirer, dit Nicolas.

— J'espère, répond Jérôme.

— Tu n'es pas tranquille ? Que crains-tu ?

— Le bonhomme. Il nous regarde d'un drôle d'air. S'il nous obligeait à ouvrir la valise ?

— Il n'en a pas le droit.

— Si c'est un policier ?

— Un policier ? Qu'est-ce que tu vas inventer ?

— Il me fait peur. Je voudrais ne plus le voir.

— Alors il y a une solution. On n'a qu'à l'étrangler.

— T'es pas fou ?

— C'est toi qu'es fou. Tu vois bien que

je plaisante. Ne t'en fais pas. Tu crois qu'elle s'en fait, elle, au-dessus ? « Crac, crac, crac. »

— Eh, là-haut ! laisses-en un peu. Si tu les manges toutes tu vas grossir. Et tu ne tiendras plus dans la valise !

— J'ai fini, répond Annie.

— Ça vaut mieux, constate Jérôme. Afin que la dame ne t'entende plus.

— C'est vrai. On lui dira qu'on l'a jetée par la fenêtre.

— Vous m'avez jetée par la fenêtre ? demande la petite voix.

— Pas toi. La souris.

Annie allait sans doute répondre quelque chose mais la porte s'est ouverte. Et le bonhomme est apparu. Lui !

« Il n'a pas l'air si méchant que ça », pense Nicolas. Peut-être pour se rassurer. Jérôme baisse les yeux. Il ne supporte pas le regard de cet homme. Et l'homme, justement, continue de fixer Jérôme, puis Nicolas, puis les valises. Il s'assied enfin.

Au bout d'un moment.

— La dame est partie ? demande-t-il.

— Elle est sortie avec ses enfants qui réclamaient à manger.

— Elle a dû se rendre au wagon-bar.

— Sans doute.

Ces quelques mots causent encore du souci à Jérôme. Comment se fait-il que l'homme n'ait pas rencontré la dame ? Avec ses quatre braillards, elle ne passe pas inaperçue. Il l'a certainement croisée. Pourquoi fait-il semblant de s'inquiéter de son départ ?

— Vous voyagez seuls ?

Voilà qu'il cherche la conversation.

— Oui, répond Nicolas.

— Ah bon ! dit l'homme.

— D'habitude, mon père nous accompagne, reprend Nicolas.

Dire que son père pourrait être là le réconforte.

— C'est cela, c'est cela. Je me doutais bien, continue l'homme. Ce ne serait pas prudent de faire traîner par d'aussi jeunes gens une valise aussi remplie.

Ça y est ! La valise ! Le cœur de Jérôme se met à battre, et celui de Nicolas s'affole également.

Mais qu'est-ce que ce bonhomme ? Ce ne sont pourtant pas les compartiments qui manquent. Pourquoi s'est-il installé près d'eux ? Est-ce vraiment par hasard ?

— On dirait qu'il va faire beau, dit-il.

Pourquoi dit-il cela ? Beau, pas beau, on s'en fiche. Pour qu'il fasse vraiment beau, il faudrait qu'il s'en aille !

— Plus qu'une demi-heure, murmure Jérôme.

— Vous descendez sans doute à Saint-Martin ? questionne l'homme qui a vraiment l'oreille fine.

— Oui, à Saint-Martin, répond Nicolas.

— Alors nous descendons ensemble.

Il ne manquait plus que ça ! Après tout, c'est sans importance. Une fois sortis du train, on ne le connaît plus ce bonhomme !

Cris dans le couloir. Rires, disputes. C'est la famille qui revient. La mère fait glisser la porte et les quatre mômes s'engouffrent dans le compartiment. Les gosses semblent rassasiés, mais la mère épuisée.

— Maintenant, vous allez vous tenir tranquilles un quart d'heure, supplie-t-elle.

Soyez gentils, reposez-vous un peu. Ensuite je vous habille car nous arriverons chez Mémère.

— Veux Mémère tout suite, piaille le plus petit.

— Si tu te reposes pas, t'iras pas chez Mémère, riposte le plus grand.

— Vous descendez sans doute à Saint-Martin ? interroge l'homme.

— Oui, monsieur.

— Alors nous y descendons tous.

— Et je ne suis pas fâchée d'arriver, avoue la mère.

— Je comprends cela. Avec tous vos petits diables ça doit être fatigant.

— Ne m'en parlez pas ! soupire la mère.

L'homme, alors, s'adresse au plus petit.

— Tu as fait bon voyage, mon coco ?

— Bon yage ! Bon yage ! balbutie le gosse en frappant des pieds sur le ventre de sa mère. Et soudain :

— T'as fait bon voyage, coco ? T'as fait bon voyage, coco ?

Qu'est-ce qui vient de se passer ? Qui a parlé ?

Deux fois la phrase a été prononcée. Sans que l'homme ouvre la bouche. Ça n'est ni lui, ni Jérôme, ni Nicolas, ni la mère, ni... Ça n'est personne.

— T'as fait bon voyage, coco ?

Une troisième fois ! L'homme lève les yeux. Jérôme pâlit. C'est là-haut.

« Non, non, pense Nicolas. Non, non. Annie, tu ne vas pas nous faire cette blague. »

Car ça ne peut être qu'Annie qui se moque de l'homme.

— T'as fait bon voyage, coco ? T'as fait bon voyage, coco ?

Encore. Et encore !

Tous les gosses pointent le nez en direction de la valise. Et la valise insiste :

— T'as fait bon voyage, coco ? T'as fait bon voyage, coco ?

« Mais ne se taira-t-elle pas, se désole Nicolas. Nous voilà presque arrivés. Tout s'était bien passé. Qu'est-ce qui lui prend ? Qu'est-ce qui lui prend ? Est-elle folle ? »

L'homme, bien sûr, a compris. Il lève

la tête, regarde les deux garçons, regarde sa montre.

Les quatre gosses, eux, provoquent la valise.

— Bon voyage, coco ! Bon voyage, coco ! crient-ils en chœur en battant des mains.

Et la valise répond :

— T'as fait bon voyage, coco ? T'as fait bon voyage, coco !

Quelle cacophonie !

La mère se fâche.

— Ça suffit comme ça ! Ça suffit les enfants ! Arrêtez que je vous habille !

L'homme, qui pourtant paraissait inquiet, se met à rire à son tour.

— Mais laissez-les faire. Laissez-les faire. Il faut bien que la jeunesse s'amuse.

Cette attitude ne tranquillise pas du tout Nicolas. Au contraire. Car, aucun doute, maintenant l'homme a compris.

Les enfants, se sentant encouragés, redoublent de « Bon voyage, coco ! » tandis que leur mère qui perd patience commence à distribuer des gifles. Elle qui s'inquiétait d'une souris ne se soucie même plus de la valise parlante. Elle a trop à faire avec sa progéniture. Elle est en colère et elle lance à l'homme un regard qui n'est pas complaisant.

— Bon, dit-il, les meilleures plaisanteries sont les plus courtes, finissons-en.

Et, prenant sa respiration, il ordonne en détachant bien les syllabes :

— Fi-nis-sons-en !

Les enfants, estomaqués par ce revirement, stoppent aussitôt. Et la valise aussi. L'homme a fait taire la valise ! Il regarde les deux garçons d'un air supérieur. Eux n'y comprennent plus rien. Qu'est-ce que ça veut dire ?

« Est-ce bien Annie ? », se demande Nicolas.

Si Jérôme pouvait lui répondre, il dirait :

— Qui veux-tu que ce soit d'autre ?

— Elle avait une drôle de voix, remarquerait Nicolas.

— Elle devait se pincer le nez.

— Elle aurait mieux fait de se taire.

— Tout cela est ma faute, se lamenterait Jérôme.

Mais Nicolas et Jérôme restent muets. Décontenancés. Sans réflexes. Face à l'homme qui recommence à sourire...

Heureusement, on arrive sous peu. Dans quelques minutes, ils auront retrouvé le cousin de Nicolas et d'Annie qui les attend à la gare. C'est un costaud le cousin, avec lui ils seront tranquilles. Mais d'ici là ? Nicolas et Jérôme ont une frousse terrible. « Il ne faut pas le laisser paraître », pense Nicolas.

— Rassemblons nos habits, dit-il.

C'est vrai, il y a tout le tas de vêtements derrière eux.

— On pourrait en faire un paquet, propose Jérôme. En les serrant dans ma ceinture.

Nicolas hoche la tête.

— Ça ne va pas être facile.

— Vous pouvez les remettre, dit l'homme qui les voit hésiter. Ça ne me dérange pas.

Ce bonhomme les aura ennuyés jusqu'au bout. Évidemment, le plus pratique — si l'on peut dire — est encore de remettre pulls, blouson, anorak, etc. « Mais le faire maintenant que l'homme l'a proposé, c'est déshonorant », pense Nicolas.

— Allons-y, décide-t-il à contrecœur. Puis, se ravisant :

— Mettons-en la moitié et faisons un paquet avec le reste.

« Ainsi, pense-t-il, l'honneur est sauf. »

— Regarde les grands garçons. Ils sont grands, eux, dit la mère à un des gosses qui refuse de s'habiller.

Qu'arrive-t-il à Jérôme ? Il avait enfilé son blouson, il le retire brusquement.

— Je sens quelque chose.

— Quoi ?

— Là, sous la doublure.

Il y a un trou au fond de la poche. Jérôme enfile un doigt, deux doigts et... le billet est là ! Il avait glissé à l'intérieur de la doublure. Le voilà ! S'ils s'en étaient aperçus plus tôt, combien d'ennuis évités !

— On peut délivrer Annie, murmure Jérôme.

— Non, non, répond tout bas Nicolas en regardant l'homme qui enfile son manteau. On ne sait jamais. Le billet n'est pas composté. Tu n'es pas en règle.

C'est égal, Jérôme se sent mieux. Il ne reste plus qu'à descendre et le cauchemar sera terminé. Seulement, attraper la valise ne va pas être facile. L'homme a déjà descendu la sienne.

— Attendez, les enfants, je vais vous aider, dit-il.

— Non, non.

— Mais si, mais si.

Nicolas tente de s'interposer en se hissant sur la pointe des pieds. Mais il est mal à l'aise, demi-bibendum qu'il est redevenu. L'homme a saisi la valise

— C'est lourd. Et fragile sans doute. Attention, pas de secousse.

Il a dit cela en adressant un clin d'œil aux garçons.

— Merci, monsieur, marmonne Nicolas.

Le train ralentit. La mère gesticule. Quel mal elle se donne pour vêtir les uns et les autres !

L'homme sort dans le couloir. Nicolas et Jérôme suivent, engoncés dans leurs habits, maladroits, s'efforçant de ne pas secouer la valise tout en portant le paquet de vêtements.

Le train s'arrête. L'homme est le premier sur le quai. Il se retourne et voit Nicolas en haut des marches, déséquilibré, malhabile.

— Vous n'y arriverez pas. Laissez-moi faire.

En moins de deux, il a déposé la valise à côté de la sienne.

— Merci, disent Nicolas et Jérôme.

À ce moment, des exclamations s'échappent du couloir.

C'est la mère et ses quatre diables.

— S'il vous plaît ! S'il vous plaît ! Si vous pouviez m'aider à descendre les petits.

Jérôme et Nicolas tendent les bras et, un à un, les quatre bambins arrivent au sol.

— Ah ! merci, merci, dit la mère qui met à son tour pied à terre et récupère son quatuor.

— De rien, madame, répond Nicolas en se retournant. Et c'est alors qu'il pousse un cri. Un cri désespéré :

— La valise !!

Il regarde à droite, à gauche, se heurte dans Jérôme qui en fait autant.

— La valise ! Notre valise !

La valise a disparu. Et l'homme aussi.

— C'est lui ! Sûr que c'est lui !

— Que vous arrive-t-il ? demande la mère.

— Notre valise. On nous a volé notre valise !

— Qui voulez-vous qui vous l'ait volée ? Pensez-vous. Avez-vous bien regardé ?

Sûr qu'ils ont bien regardé. Ils ouvrent des yeux immenses. Mais la valise n'est plus là. Et si c'est l'homme, si c'est l'homme, il est déjà loin !

— Annie ! Annie ! se lamente Jérôme.

— Que dites-vous là ? demande la mère.

Nicolas et Jérôme s'élancent comme des fous en direction de la sortie.

— Vite ! Vite ! crie Nicolas.

Mais Jérôme qui porte le paquet d'habits a du mal à suivre. Il se tord un pied, perd l'équilibre et choit de tout son long sur le quai. Nicolas le ramasse.

— Tu as mal ?

— Non, ce n'est rien.

— Vite ! Vite !

Ils repartent. Pour gagner la sortie, il faut prendre le souterrain. Ils franchissent des marches, sautent, escaladent, se font disputer par les voyageurs qu'ils bousculent.

— Le salaud ! Le salaud ! crie Nicolas.

— Annie… An…nie…, halète Jérôme.

Ils arrivent dans le hall de la gare. L'homme n'y est pas. Quelle histoire ! Quelle affreuse histoire !

Les deux garçons s'arrêtent, hors d'haleine, désespérés. « Comment faire ? Comment dire ? Faut-il prévenir la police ? Quelle histoire ! Commençons par tout raconter au cousin. Mais où est-il le cousin qui devait venir nous chercher ? Sous la pendule. C'est là le lieu de rendez-vous. Il n'y a pas de cousin sous la pendule. Pas de cousin. Et plus de valise ! Quel malheur ! »

— Les enfants de monsieur Poulain sont priés de se rendre au bureau du chef de gare.

C'est le haut-parleur qui vient de donner de la voix.

— Je répète : les enfants de monsieur Poulain sont priés de se rendre au bureau du chef de gare.

— Les enfants de monsieur Poulain ? Mais c'est nous ! Nous ! crie Nicolas.

« Au bureau du chef de gare ? Comment cela ? Sait-il quelque chose ? Déjà ? Allons-y, allons vite ! »

Ils se présentent au chef de gare.

— Bonjour les enfants. Vous l'êtes rouges ! Vous avez couru ? Il ne fallait pas courir comme ça. Rien de grave. J'ai reçu un coup de fil de votre cousin. Oui, c'est un ami. Il sera un peu en retard. Il ne voulait pas que vous vous affoliez. Il m'a demandé de vous faire attendre tous les trois. Au fait, oui, il m'a dit que vous étiez trois. Deux garçons et une fillette. Ça n'est pas exact ?

— Si, si..., dit Nicolas. C'est... c'est ma sœur qui manque.

— Qui manque ? Où est-elle ?

— Elle est, elle est...

Cette fois, Nicolas perd son sang-froid. Il est pourtant courageux mais il est à bout, ses yeux s'emplissent de larmes.

— Où est-elle ? insiste le chef de gare qui s'inquiète.

— Elle est... dans la valise, répond Jérôme.

Et il s'effondre à son tour.

Le chef de gare a écouté attentivement le récit et a aussitôt appelé la police.

Deux policiers arrivent auxquels il faut tout répéter.

— Allons les enfants, un peu de patience, disent les policiers. On va la retrouver votre... Comment se prénomme-t-elle ?

— Annie, soupire Jérôme.

— On va vous la retrouver votre Annie.

C'est un chauffeur de taxi qui la retrouva.

— Ah ! bon, qu'il raconta. Une valise ! J'ai failli rouler dessus. Je m'arrête, je descends. Voilà qu'ça cause. « Ouvrez-moi ! qu'ça disait. Ouvrez-moi ! » Et ça tapait là-dedans, ça tapait si fort que je me dis : « Pas de doute, y'a quelqu'un. » J'appuie sur les fermoirs. Je soulève le couvercle. Ça alors ! Une gamine ! Une gentille gamine ! Et qui pleurait même pas. Et qui me crie : « Vite, vite, sous la pendule ! » Et qui m'entraîne en courant... C'est alors qu'on a rencontré l'agent.

Maintenant Annie, Nicolas et Jérôme sont réunis dans le bureau du chef de gare. Le cousin arrive à son tour.

Nicolas doit raconter, raconter encore.

— Votre père ne vous fera pas de compliments, dit le cousin. Allons, rentrons à la maison. Vous allez dîner et vous reposer. Vous en avez grand besoin.

Hélas, la nuit fut encore mouvementée.

C'est Nicolas qui entendit le premier. Un bruit curieux. Inquiétant. Dans la chambre d'Annie. Qu'est-ce que ça peut bien

être ? Le vent qui fait bouger la fenêtre ?
Non, il n'y a pas de vent. Une souris ?
Jamais une souris ne provoquerait de tels
craquements. Nicolas se tourne vers Jérôme
qui dort auprès de lui.

— Tu entends ?

Jérôme ne bouge pas. Et le bruit redouble d'intensité.

« Ça n'est pas normal, se répète Nicolas. Ça n'est pas normal. »

Voilà qu'il a peur. Vraiment peur. S'il
faisait jour, peut-être arriverait-il à se dominer ? Mais dans le noir... Et dire que les
autres n'entendent rien ! Le cousin et la cousine couchent au premier étage. Loin...

« Ça n'est pas le vent. Mais c'est la
fenêtre. Quelqu'un essaie de l'ouvrir de
l'extérieur. Un voleur ? Un criminel ? Et
Annie qui n'entend pas. Annie qui est en
danger. »

Nicolas sue à grosses gouttes. Ses dents
claquent.

« Si ça continue, je crie. Non, je n'ose
pas. Il faut d'abord que je réveille Jérôme.
Je ne peux pas rester seul. Seul face à l'ennemi. »

— Jérôme ! Jérôme !

Nicolas secoue son copain. Sans trop oser bouger. Pour que l'*autre* ne l'entende pas. Quel *autre* ? Celui qui essaie d'entrer par la fenêtre.

— Jérôme !

— Oh ! laisse-moi, ronchonne Jérôme en s'enfonçant sous les draps. Je dors.

— Non, non, ne dors pas, insiste Nicolas. Réveille-toi. C'est grave.

— Qu'est-ce qu'il y a ?

— Un bonhomme.

— Quoi ?

— Chut ! Un bonhomme, je te dis. Qui essaie d'entrer par la fenêtre. Dans la chambre d'Annie.

— Dans la chambre d'Annie ?

Cette fois, Jérôme est réveillé. Annie est en danger. Rien ne pouvait l'alerter davantage.

— Écoute, murmure Nicolas.

— Je n'entends pas.

— Mais si, écoute.

Leurs cœurs battent si fort et si vite que ça fait comme un roulement de tambour. Mais les craquements prennent le dessus.

— Tu entends ?

— Oui. Qu'est-ce que c'est ?

— Je te dis que c'est quelqu'un.

— Pas possible.

— Pourquoi pas possible ?

— Les voleurs mettent moins de temps pour ouvrir une fenêtre.

— C'est peut-être un voleur maladroit.

— Il n'y a plus de voleurs maladroits.

— Alors qu'est-ce qu'on fait ? On crie ?

— Surtout pas.

— Pourquoi ?

— Quand on donne l'alerte, les voleurs deviennent dangereux.

— Alors, on attend ?

— Et Annie ? Tu penses à Annie ? J'y vais.

— Quoi ?

— J'y vais.

Jérôme a glissé doucement du lit. Nicolas le suit. Il a peur mais il n'abandonnerait jamais son copain et Annie. Les voilà à quatre pattes. Rampant comme des Sioux... Ils arrivent à la porte. S'immobilisent. Écoutent. Jérôme fait un signe. Leurs yeux se sont habitués à l'obscurité.

— Ça n'est pas la fenêtre. C'est plus loin. Dans le coin.

Main après main, pas après pas, respirant à peine, ils arrivent près du lit d'Annie.

— Dire qu'elle dort tranquillement, pense Nicolas. Ah ! les femmes !

— Mais..., fait Jérôme.

Il vient de toucher le matelas, sa voix est angoissée.

— Ça n'est pas possible...

Nicolas a compris. Il s'est levé d'un bond. Et a constaté que le lit était vide. Alors, il hurle.

— Au secours ! Au secours ! On a volé Annie !

La suite se déroule à une vitesse folle. Nicolas fait demi-tour, se heurte au mur, s'engouffre dans l'escalier.

— Cousin ! Cousin ! On a volé Annie !

Jérôme se précipite à la fenêtre. Il se prend un pied dans une chaise qui s'écrase dans un bruit épouvantable. La fenêtre, en effet, n'est pas fermée. Le voleur a pu entrer. Le cousin arrive. Presse le commutateur. Lumière ! Il est en chemise de nuit. Armé d'un manche à balai. Il a un œil terrible. C'est vrai, le lit d'Annie est vide.

— Attends un peu ! hurle le cousin en brandissant son bâton.

Mais personne ne sait à qui il s'en prend. À part une potiche à laquelle la cousine tenait beaucoup et qui s'écrase en miettes.

— C'est là-bas ! Là-bas ! crie Nicolas sans savoir où et pourquoi.

Le cousin, bâton en l'air, passe de l'autre côté du lit et, soudain, s'arrête pile. Il rit, rit, aussi fort qu'il hurlait une seconde plus tôt. Et que voit-on alors ! Annie, les yeux bouffis de sommeil, qui apparaît, étonnée, innocente, tranquille.

— Que cherchez-vous ? demande-t-elle.

Sans doute avait-elle revécu en rêve toutes les aventures du voyage. Voilà pourquoi elle était tombée sur la descente de lit qui, heureusement, était aussi confortable que le matelas.

— Tu nous as fait une rude peur, dit Jérôme.

— Décidément, vous êtes de drôles de lascars, soupire le cousin.

— Mais le bruit ? interroge Nicolas.

Tous se taisent. Et tous comprennent.

— La valise !

C'est pourtant vrai, le bruit vient encore de la valise !

— Ah ! non, pas ça, rouspète Annie.

Mais le cousin a déjà soulevé le couvercle.

— Voilà le fautif !

C'est Minou, le jeune chat de la maison. Qui n'a pu résister, attiré qu'il était par cette boîte inconnue. Et qui s'est senti bien malheureux quand la boîte s'est refermée sur lui.

La cousine ramasse les morceaux de la potiche.

— Je t'en offrirai une autre, promet Nicolas.

— Les enfants, savez-vous quelle heure il est ? dit le cousin en prenant sa grosse voix. Trois heures du matin ! Croyez-vous raisonnable de mener une vie pareille ? Vous allez me refaire vos lits en vitesse. Fermer la fenêtre. Fermer la valise. Et, cette fois, vous endormir pour de bon.

La nuit se termina dans le calme revenu.

Quand le cousin rentra de son travail, à midi, Annie claqua de gros baisers sur ses joues.

— Pardonne-nous, fit Nicolas.

— Ne parlons plus de cette nuit, plaisanta le cousin. Tenez, il y a, dans le journal, un article concernant votre voyage.

Il lut : « Hier au soir, deux inspecteurs de Saint-Martin ont mis la main sur un dangereux malfaiteur. L'individu a été arrêté en possession d'une valise qui permettra vraisemblablement de remonter la filière d'un honteux trafic d'animaux. En effet, on a retrouvé dans la valise, outre un mainate apprivoisé, deux perroquets exotiques d'une valeur inestimable et dont la vente est for-

mellement interdite. Les deux malheureux oiseaux étaient rudimentairement emballés, ce qui leur interdisait tout mouvement. »

— Alors, dit Nicolas, ça n'était pas toi : « T'as fait bon voyage, coco ? »

— Bien sûr que non, ça n'était pas moi, répond Annie. Je me suis assez demandée qu'est-ce que ça voulait dire.

— Ça devait être le mainate, dit Jérôme. Il paraît que ça parle très bien.

— Celui-là, reprend Nicolas, parlait très bien mais n'avait pas grande conversation.

Et les trois de reprendre en chœur :

— T'as fait bon voyage, coco ? T'as fait bon voyage, coco ? T'as fait bon voyage, coco ?

Mais en riant, cette fois.

Dans l'après-midi, le cousin reçoit un appel du commissariat.

« Le personnage aux perroquets est bien celui qui s'était accaparé la valise de votre famille. Il croyait qu'elle renfermait des objets de valeur et il l'a abandonnée en entendant la fillette crier. Considérez que, pour les enfants, l'affaire est classée. »

— Vous me faites de drôles de gaillards, dit gentiment le cousin. J'espère bien que vous ne recommencerez jamais cela.

— Promis, dirent-ils tous trois.

Et Annie demanda une aiguille et du fil pour recoudre la poche du blouson de Jérôme.

Si tu as aimé cette histoire
découvre un extrait de

L'affaire Poupoune

de Fanny Joly

Le seul pull qui lui restait était en angora orange. Avec le mauve, on fait mieux ! Surtout que cet orange-là n'était pas doux et sucré, mais vif, acide, très agressif. D'ailleurs, il avait excité l'agressivité de Poupoune car les deux manches étaient rongées aux poignets, où des bouts de laine pendaient lamentablement.

Et cette sonnerie qui sonnait sans arrêt !

Exaspérée, Rosie entra en trombe dans la salle de bains.

— Poupoune, regarde ce que tu as fait ! dit-elle en flanquant le chandail sous le nez de la lapine.

Poupoune avait fini son chou. Elle était en train de se goinfrer de carottes. Les feuilles de la botte disparaissaient entre ses babines comme dans le tube d'un aspirateur.

— Tu as vu l'état de mon chandail ! Mon seul chandail pour aller dîner ! répéta Rosie, scandalisée par tant d'insolente indifférence. Un éclair moqueur traversa la pupille rouge de la lapine. Comme pour rire, elle attrapa un bout de laine d'un coup de dent et se mit à tirer dessus. Horreur ! Le chandail, aussitôt, se détricota, se détricota. Poupoune, surexcitée, trottait, trottait, diabolique, tout autour de sa bienfaitrice !

Rosie n'eut que le temps d'attraper la pince à ongles pour tout couper, avant de se retrouver transformée en momie, embobinée de laine frisottée. Cette fois, le malheureux chandail n'avait presque plus de manche d'un côté.

— Je m'en fiche, ça me donnera un genre, d'abord ! s'écria Rosie, bien fort, pour s'en persuader.

Elle regarda, consternée, son chandail manchot tout effiloché. Elle se souvint que sa mère mettait du vernis à ongles sur ses bas quand ils commençaient à filer. Faute de vernis, elle prit le tube de colle de sa trousse et en étala une bonne couche tout autour de la manche rognée. Puis, courageusement, l'enfila…

Imprimé en France par Brodard et Taupin
La Flèche (Sarthe) le 07.06.2000 - n° 2415

Dépôt légal : janvier 1996